Chuaigh sí i bhfolach nuair a chonaic sí beirt
fhear sa lios.

Bhí sluasaid ag duine acu agus é ag tochailt.
Bhí gléas ait ag an bhfear eile agus péire
cluasán ar a cheann.

Strainséirí ba ea an bheirt acu agus bhí cineál
eagla ar Chaitríona rompu. D'fhéach siad
crosta, dar léi.

Abhaile léi go tapa agus d'inis sí an scéal don chuid eile den teaghlach.

'Brathadóir miotail an gléas sin,' arsa a deartháir mór. 'Tagann glór as nuair a bhraitheann sé miotal i bhfolach faoin gcré.'

'Ach ní seanmhiotal atá á lorg ag na fir sin,'
ar seisean, 'ach rudaí luachmhara a bhíodh
ag na daoine a mhair sa lios fadó.'

Lá arna mhárach chuaigh Caitríona ar ais go dtí an lios. Bhí poill tochailte ar fud na háite. Bhí fearg ar Chaitríona.

Chrom sí síos chun an chré a chur ar ais i gceann de na poill. Ach ansin chonaic sí rud éigin ag spréacharnach faoi sholas na gréine.

Phioc sí suas é agus ghlan sí an chré de. Cad
a bhí ann ach éinín bídeach óir! Léim a croí
le háthas.

Rith sí abhaile go sceitimíneach chun é a thaispeáint dá tuismitheoirí.

'Féach cad a fuair mé sa lios,' ar sise. 'Nach é
an t-éinín is áille dá bhfaca tú riamh?'

Scrúdaigh athair Chaitríona an t-éinín óir
agus ar seisean ansin: 'Níl aon dul as againn.
Caithfimid é a bhreith go dtí an tArd-
Mhúsaem.'

Ní raibh Caitríona sásta in aon chor.
'Is liomsa an t-éinín óir. Mise a fuair é.
Is liomsa é,' ar sise go daingean.

Thaispeáin a hathair an t-éinín
do dhaoine eile.
Bhí siad go léir faoi dhraíocht
ag an éinín álainn.

Thaispeáin a hathair pictiúr den Ard-Mhúsaem
do Chaitríona agus mhínigh sé di nach
bhféadfadh sí an t-éinín a choimeád di féin.

Bhí Caitríona faoi bhrón.
Ach faoi dheireadh dúirt sí,
'Ceart go leor mar sin.'

Mhol a hathair go hard í. Ansin chuir sé an
t-éinín go cúramach i mbosca agus thug sé
leis go Baile Átha Cliath é.

Mí ina dhiaidh sin fuair Caitríona cuireadh go dtí an tArd-Mhúsaem i mBaile Átha Cliath.

Ghléas Caitríona í féin ina héadaí maithe.
Ansin chuaigh sí lena hathair agus a máthair
ar an traein go Baile Átha Cliath.

Nuair a shroich siad an tArd-Mhúsaem chuir an fear ceannais fáilte rompu. 'Táimid an-bhuíoch díot, a Chaitríona,' ar seisean. 'Tá muintir na hÉireann faoi chomaoin mhór agat.'

Ansin thug sé isteach iad i seomra mór
galánta a bhí lán d'earraí luachmhara –
seoda na hÉireann ón sean-am.

Istigh ann i gcás gloine leis féin bhí éinín óir
Chaitríona agus é ag spréacharnach faoi na
soilse geala. Ó, nárbh é a bhí go hálainn!

Agus faoina bhun bhí cárta álainn agus scríofa air bhí:

Caitríona Ní Ríordáin a fuair.